Dans la même collection

À l'époque des pharaons

Au temps des cavernes

Au temps des Gaulois

Au temps des Romains

Au temps de Charlemagne

Au temps des cathédrales

À l'époque des chevaliers

Au temps de la Grande Guerre

http://www.casterman.com

ISBN 2-203-13739-8
Tous droits réservés. Toute reproduction, même partielle, de cet ouvrage est interdite. Une copie ou reproduction par quelque procédé que ce soit, photographie, microfilm, bande magnétique, disque ou autre, constitue une contrefaçon passible des peines prévues par la loi du 11 mars 1957 sur la protection des droits d'auteur.
© Casterman 1992 pour la première édition, 1999 pour la présente édition.
Conception graphique et réalisation : Thierry Laurent

Sommaire

Des enfants dans l'Histoire

À l'époque de Molière

Texte de Françoise Lebrun
Illustrations de Ginette Hoffmann

casterman

À l'hôtel
de Condé

Te voilà rendue, à tout à l'heure. Le carrosse à cinq sols, parti de la porte Saint-Denis, s'arrête au palais du Luxembourg. Alizon, la gouvernante, s'éloigne d'un pas rapide vers la rue Saint-Jacques, celle des papetiers, des libraires et des imagiers. Maître Nicolas l'a chargée d'acheter plusieurs plumes de Hollande, de cygnes et de corbeaux, ainsi que trente feuilles de papier pour l'écriture, le calcul et les finances. Madeleine, étourdie par l'animation, reste sur place. Un carrosse lancé au galop passe si près qu'elle en sursaute. Voici enfin l'hôtel de Condé, à quelques pas. "C'est presque aussi grand que le Louvre", se dit-elle, impressionnée par la taille des bâtiments.

— Où vas-tu, petite ? demande le garde à l'entrée de la grande porte cochère surmontée des armes du prince.
— Je dois rejoindre mon père à l'orangerie ; je suis la fille de Florimond, le comédien.
Madeleine suit l'itinéraire indiqué par le garde. Elle traverse une première cour : quelle animation ! Elle voit les remises où attendent deux

— Où vas-tu, petite ? demande le garde à l'entrée de la grande porte cochère surmontée des armes du prince.

7

carrosses aux roues peintes en rouge, puis les écuries où piaffent des chevaux étrillés par des palefreniers pendant que, d'une grande charrette, cinq hommes hissent du foin dans le grenier. L'odeur de foin et de fumier lui monte au nez. Elle gravit les marches du perron, croisant un laquais qui court porter une lettre.

Elle devrait traverser le premier corps de bâtiment et sortir par la grande façade qui donne sur un immense jardin. Mais la curiosité l'emporte. Un petit pas de côté, et la voici qui pénètre dans l'enfilade des pièces d'apparat. Par extraordinaire, les premières sont vides. Tentures de cuir, tapisseries des Flandres, plafonds à caissons peints, quelle magnificence ! Elle caresse du doigt le velours des fauteuils, s'aventure dans la pièce suivante où, dans une grande cheminée de marbre, se consume un tronc d'arbre.

Le front collé contre une vitre, elle contemple le jardin aux broderies de buis et aux parterres composés. Les jardiniers sont à l'œuvre, les servantes ont été puiser de l'eau. Elle aperçoit les promeneurs à qui le prince de Condé a ouvert son jardin depuis que la Grande Mademoiselle leur a fermé celui du palais du Luxembourg.

Un petit pas de côté, et la voici qui pénètre dans l'enfilade des pièces d'apparat.

— Qui est cette petite demoiselle ? demande soudain une grosse voix. Madeleine se retourne, rougit, esquisse une révérence et, intrépide, répond :
— Votre filleule, Monseigneur, la fille de Florimond.
— Ah ! ah ! je vois que tu as la langue bien pendue, s'exclame le prince de Condé. Tu as maintenant les traits de ta mère, continue-t-il d'une voix plus douce. Tu diras encore à ton père que leur spectacle d'hier soir était bien beau... Seras-tu du voyage ?

Elle acquiesce de la tête. Le prince avise un laquais.

— Eh bien, bonne route, ma filleule !

Madeleine repart d'une révérence et suit le laquais jusqu' à l'orangerie.

— Or çà, mademoiselle ta fille a besoin d'une escorte ! s'esclaffe la Beauval en la voyant entrer.

— Moi qui comptais sur toi pour m'aider à plier mes robes, continue en riant Catherine de Beauce.

Au fur et à mesure, une ville entière disparaît sous les yeux de Madeleine.

Les malles sont presque bouclées. Entre les caisses d'orangers dont l'odeur forte et sucrée se mêle à celle des bougies qui ont brûlé la veille, Nicolas d'Houay et Jean Bernard roulent les toiles peintes des décors. Au fur et à mesure, une ville entière disparaît sous les yeux de Madeleine.

Florimond prend sa fille par l'épaule :

— Puisque tout est prêt, je te conduis au théâtre cet après-midi. Que te plairait-il de voir ?... Je vous rejoins à *La Pomme de Pin* après souper, lance-t-il à la cantonade.

Madeleine les embrasse tous. Aux côtés de son père, elle franchit fièrement le grand porche de l'hôtel de Condé, saluant le garde d'un signe de tête.

Le théâtre au Moyen Âge

Jusqu'au milieu du XVIe siècle, le métier de comédien n'existe pas. Des pièces en latin, ou traduites en latin, sont jouées dans les collèges. Le plus ancien drame connu écrit en français date du XIIe siècle et s'intitule Représentation d'Adam. Dans les villes les plus riches ont lieu, tous les dix ou vingt ans, des représentations qui peuvent durer une semaine à un mois : les mystères. Noël et Pâques sont les deux grandes époques choisies pour ces pièces sacrées qui, la plupart du temps, reprennent des épisodes de l'histoire sainte. Ce sont les habitants de la ville qui jouent : en effet, ce n'est qu'à partir de 1545 que les troupes de comédiens professionnels se constituent et proposent leurs spectacles de ville en ville. Au Moyen Âge, il n'y a ni théâtre, ni troupe régulièrement installés. Le comédien est itinérant. La présence de femmes sur scène est tout à fait exceptionnelle.

11

Un après-midi
au théâtre

-Quel jour sommes-nous ? s'interroge Florimond tout en marchant, tandis que Madeleine prend garde à ne pas salir sa jupe dans la boue des rues de Paris. Vendredi, continue-t-il. Tu ne verras pas les Italiens, ils jouent à l'extraordinaire les lundis, mercredis, jeudis et samedis. Aujourd'hui, c'est la troupe de Molière qui donne au Palais-Royal *Les Amants magnifiques*. Au théâtre de Bourgogne, ce doit être une tragédie... Non, je sais, je te conduis au Marais voir *Les Amours du Soleil*. Tu n'en croiras pas tes yeux ! Tout Paris y court.
Et le voici qui arrête un fiacre.

Rue Vieille-du-Temple, impossible de faire un pas. Les carrosses avancent, s'arrêtent pour laisser lentement descendre de belles dames accompagnées de marquis en chapeau à plumes. Ce ne sont que

*Rue
Vieille-du-Temple,
impossible
de faire un pas.*

13

cris de laquais qui hurlent pour faire dégager la voie.

Une fois passée la bousculade de la porte, Madeleine et son père se retrouvent au parterre, parmi les pages, les laquais, les étudiants et les mousquetaires. Quel bruit, quelle agitation ! Chacun s'interpelle ou fait venir à grands cris les demoiselles qui vendent des oranges de Chine, des confitures, des citrons et des liqueurs.

— Attends-moi, j'aperçois un ami là-haut.

Et Florimond disparaît. Bousculée, Madeleine se colle contre un pilier. Elle regarde la salle, tout en longueur, les deux étages de petites loges qui se font face, encadrant le parterre où le public se tient debout. Les chandelles, placées autour de la salle dans des appliques à réflecteurs, sont allumées. Madeleine, avec sa petite taille, commence à disparaître à son tour. Heureusement, une main la saisit qui l'entraîne jusqu'aux loges du deuxième étage où son père leur a trouvé deux places. De là, elle aperçoit de fort jolies femmes parées, qui se cachent tantôt le visage d'un masque, tantôt font admirer les mouches qu'elles y ont disposées. Madeleine en connaît le langage : près de l'œil, c'est la passionnée, sur la lèvre, la coquette, et sur le nez, l'effrontée...

Deux étages de petites loges se font face, encadrant le parterre où le public se tient debout.

Le rideau s'ouvre. Le décor représente un ciel, et Madeleine ne distingue d'abord qu'un amoncellement de nuages. Puis les rayons du soleil illuminent la scène et les nuages prennent des couleurs irisées, roses, dorées, presque comme des bulles. Le public, sous le charme, fait silence. C'est le moment que choisissent les trois Grâces, nimbées de lumière, pour apparaître dans une nacelle suspendue. L'Amour, à son tour, descend du ciel sur un nuage. Et le voilà qui traverse toute la salle dans les airs, pour aller jusqu'aux

gradins du fond. Madeleine, comme tous les spectateurs, le suit des yeux, stupéfaite... Les Grâces le rappellent en chantant. Toujours sur son nuage, l'Amour revient vers elles, s'arrête sur le devant de la scène, joint sa voix à celle des Grâces... avant de disparaître. Le ciel se referme. Madeleine est maintenant transportée dans les bois d'Italie. Treize fois de suite, le décor change : des machineries volantes font apparaître tous les dieux de l'Olympe, et la petite fille ne sait plus très bien si ce sont les acteurs ou elle qui changent de place. Heureusement, il faut moucher et changer les chandelles toutes les demi-heures, ce qui permet de reprendre pied sur terre.

Madeleine est maintenant transportée dans les bois d'Italie.

Après trois heures de spectacle, Florimond estime que sa fille en a assez vu. Ils quittent la salle avant la courte comédie qui conclut la représentation, suivie par l'annonce des prochains spectacles.

Madeleine retrouve les pavés de la rue Vieille-du-Temple où se pressent les commis et attendent les carrosses.

— Vite, ma fille ! j'ai promis à ta tante que nous serions de retour avant la nuit tombée. Six heures sont déjà passées.

La plaisante COMEDIE du IODELET MAISTRE, de Monsieur SCARON: Avec vne DANSE de SCARAMOVCHE...

Les représentations

Au XVIIe siècle, la vie religieuse détermine le calendrier des représentations qui cessent pendant le carême, avant Pâques. Elles ont toujours lieu en matinée, et les jours de représentation "ordinaire" sont les mardis, vendredis et dimanches. Les spectacles sont annoncés dans les gazettes, ancêtres des journaux, ou par voie d'affichettes sur les lieux de passage. Chaque théâtre a une couleur : rouge et noir pour Molière au Palais-Royal, rouge pour l'hôtel de Bourgogne, vert pour le théâtre du Marais et jaune pour l'Opéra. La salle, comme la scène, reste dans la lumière, et le rideau demeure ouvert pendant les entractes. Sous l'influence de la peinture italienne, les décors évoluent : aux simples toiles de fond succèdent de savantes constructions organisées selon les lois de la perspective. Parfois, des machines font apparaître ou disparaître les acteurs comme par enchantement.

Dernière soirée
en famille

-**A**h ! vous voilà. Nous allions fermer boutique, s'exclame dame Barbe, sœur de Florimond et respectable épouse de maître Nicolas Desplasses, drapier de père en fils de la rue Saint-Denis.

Leur commerce, à l'enseigne du Pélican, est renommé. Les rouleaux de drap, de damas, de velours de Gênes, de satin, de taffetas, de brocarts d'or et d'argent s'amoncellent sur les étagères, et ils ne seront pas trop de quatre dans la boutique pour répondre aux demandes de leur clientèle. Mais à cette heure, il ne reste que Jean-Baptiste, l'apprenti, qui accroche les lourds volets de bois de la devanture. Ensuite, il balaiera la boutique et le devant de la porte, remettra en place quelques lés de tissu, rangera les ciseaux ou les mesures qui ont été déplacés.

— Allez, mon garçon, va manger chez ta mère et prends garde à toi en rentrant.

Les rouleaux de drap, de damas, de velours de Gênes, de satin, de taffetas, de brocarts d'or et d'argent s'amoncellent sur les étagères.

19

Madeleine a de l'affection pour ce jeune homme en apprentissage chez son oncle depuis trois ans. Elle connaît sa mère, une veuve de drapier qui a placé son autre fils chez un confrère. L'entrée en apprentissage coûte cher. Pour maître Nicolas et dame Barbe, Jean-Baptiste tient lieu de fils. Leurs enfants sont morts en bas âge. C'est dire que la grande maison, avec ses trois étages, sa cour intérieure, le puits et le bâtiment des remises, paraît vaste. Chacun a sa chambre : Jean-Baptiste et Paulin, l'un des compagnons qui vit encore ici ; les deux servantes et la cuisinière ; Alizon, la femme de confiance des maîtres ; Florimond, quand il est à Paris, et Madeleine depuis la mort de sa mère. Dame Barbe l'a accueillie avec tendresse. Elle aimerait l'écarter de la tentation du théâtre. Mais elle craint fort que ce ne soit en vain. Ne l'a-t-elle pas vue, plutôt qu'appliquée à broder, préférer les livres que son père ne cesse d'apporter ? Parfois, elle se demande si elle a eu raison de lui apprendre à lire...

Ce que préfère Madeleine : du pain de Gonesse cuit au levain, gonflé et doré.

Pour cette dernière soirée, bien que ce soit jour maigre, dame Barbe a préparé un repas de fête : potage de carpe farcie, pâtés de poisson en croûte, turbot qu'elle a fait cuire enveloppé de fenouil vert, canard de mer fortement épicé, fruits, pâtisseries, confitures sèches et liquides, compotes et, surtout, ce que préfère Madeleine : du pain de Gonesse cuit au levain, gonflé et doré.

La table est dressée. Debout, tous écoutent le bénédicité, récité dans le silence par le maître de maison. Deux heures plus tard, le repas terminé, maître Nicolas se retire dans son cabinet pour mettre au net les comptes du jour. Florimond, lourde canne à la main pour se défendre contre un éventuel assaillant, part rejoindre ses camarades à *La Pomme de Pin*. Alizon monte dans sa chambre pendant que les servantes des-

servent, et dame Barbe entraîne Madeleine avec elle pour les dernières recommandations avant le départ. Assise devant la cheminée sur une caquetoire, Madeleine écoute d'une oreille distraite. Elle regarde cette pièce qu'elle ne verra plus avant quelques mois : les tapisseries qui représentent des scènes de chasse, avec leur chasseur dans la verdure, et surtout cet oiseau blanc, presque invisible, auquel elle a souvent parlé. Elle tourne la tête et son regard s'attarde sur le grand lit aux draperies vertes gansées de rouge, entouré des six chaises à haut dossier, avant de revenir à la cheminée où les boules de cuivre des chenets rougeoient au feu. Elle a si souvent rêvé de partir. Maintenant que le moment est venu, elle se prend presque à regretter cet endroit et sa chaleur.

Elle a si souvent rêvé de partir.

Plus tard, couchée dans son petit lit blanc à l'étage supérieur, Madeleine ne trouve pas le sommeil. Elle écoute les bruits de la nuit, des pas isolés, des éclats de voix, le passage d'un cheval, les chats qui se battent dans les gouttières... Puis elle songe au départ du lendemain pour la Hollande, un pays étranger où son oncle se rend quelquefois pour acheter des draps et des étoffes, où elle partagera la vie de son père, celle qu'avait connue sa mère. L'aventure de la vie des comédiens.

22

Capitaine Fracasse   Turlupin   Gros Guillaume   Gaultier Garguille

Être comédien au XVIIᵉ siècle

Voici le temps où des troupes régulières se constituent et s'organisent démocratiquement. Les engagements se font par contrat et les comédiens se partagent la recette. Ceux qui souhaitent se retirer pour raison d'âge ou de maladie reçoivent une pension à vie, payée par leurs camarades.
Le chef de troupe a une lourde tâche : il interprète généralement les rôles-titres, recrute les comédiens et choisit le répertoire. Il en fait la promotion, compose les affiches et prévient les gazetiers. Après chaque représentation, il annonce au public les prochains spectacles. C'est l'âme de la troupe. Cultivé, énergique, il est aussi homme d'affaires, car la concurrence est rude pour obtenir subventions et commandes royales. Le plus grand chef de troupe de cette époque fut Molière. Il parvint à s'attirer à la fois les faveurs du roi et celles du public, proposant tour à tour des farces, d'élégantes comédies ou de somptueux ballets pour la cour.

23

Les surprises du voyage

Patatras ! c'était trop beau… La journée s'était déroulée sans incidents. Partis au point du jour, carrosse et chariot avaient roulé bon train. Tous s'étaient retrouvés chez le loueur, où les bagages avaient été chargés sous la surveillance de l'intendant du prince. Catherine de Beauce bâillait un peu, puis s'était rendormie, appuyée contre l'épaule de Bellerose. La Beauval, le nez dans une brochure, marmottait des phrases qui ressemblaient à des alexandrins. Anne Pitel et son mari, dit Filandre, le chef de la troupe, faisaient des prévisions sur les recettes futures. Florimond, le chapeau sur les yeux, somnolait et Madeleine, assise près de la vitre, regardait le paysage. Derrière eux, dans le chariot couvert, chargé de malles et de décors, Nicolas d'Houay, Jean Bernard et Longchamp conversaient avec animation.

Ils avaient traversé de petits villages à la sortie de Paris.

Ils avaient traversé de petits villages à la sortie de Paris, puis une grande forêt, sans que des détrousseurs ne leur demandent leur bourse. Ils s'étaient arrêtés pour céder le passage aux courriers du roi, qui galopaient à folle allure. Ils avaient croisé un magistrat sur sa mule et des paysans allant aux champs. Tout était calme.

Et voici qu'un essieu du carrosse s'était rompu, réveillant dans la secousse ceux qui s'étaient assoupis. Les chevaux furent dételés rapidement et les passagers du carrosse installés tant bien que mal sur le chariot. Bellerose et Florimond partirent au galop chercher de l'aide, pour revenir bien vite accompagnés du charron du village voisin. Il fut entendu que les femmes et deux des comédiens iraient s'installer à l'auberge en attendant que la réparation soit faite. Les trois autres resteraient près du carrosse.

À l'auberge, l'accueil ne fut pas chaleureux.

Le village était désert. Tous étaient aux champs. L'église modeste, le lavoir, les maisons en torchis, aux papiers huilés en guise de fenêtres, semblaient endormis.

À l'auberge, l'accueil ne fut pas chaleureux. Dans la salle enfumée aux trois longues tables en bois entourées de bancs, la femme de l'aubergiste était fort occupée à choisir des rubans et des dentelles. Assis à côté d'elle, un colporteur lui vantait les qualités de sa marchandise. De mauvaise grâce et dans un jargon que Madeleine ne comprit pas, elle invita les arrivants à s'installer devant l'âtre.

Curieuse, la fillette s'approcha de la table. La malle du colporteur était ouverte, offrant au regard des images saintes, des ciseaux, des étuis, des lacets et autres menues babioles. Les comédiennes approchèrent à leur tour. La femme de l'aubergiste, s'étant reprise, leur offrit à boire. C'est alors que cinq gentilshommes firent une entrée remarquée dans

l'auberge. Ils se découvrirent devant les dames.

— Qu'apprenons-nous ? dit alors le plus richement vêtu. La troupe de Son Altesse le Prince est en difficulté sur nos terres ? Cela ne saurait être. Que les dames veuillent me faire l'honneur d'accepter l'hospitalité de mon modeste château. Je ferai préparer pour demain une autre pièce pour messieurs les comédiens, mais je marie ma fille et ne saurais où les loger ce soir. J'ai vu votre chef et il m'a fait la joie d'accepter de jouer pour rehausser la fête...

Que les dames veuillent me faire l'honneur d'accepter l'hospitalité de mon modeste château.

Le flot de compliments fut interrompu par l'arrivée du curé, vitupérant :

— Des comédiens, des suppôts de Satan, des femmes perdues !

Mais le châtelain reprit aussitôt :

— Sornettes, monsieur le curé, ces dames et ces messieurs sont mes hôtes. Cherchez le diable ailleurs...

Vexé, le curé sortit en claquant la porte.

— Mon carrosse viendra vous chercher sur l'heure.

Un murmure de contentement se fit entendre du côté des dames, pendant que le comte de Sérigné-Moisville et son escorte se retiraient avec force saluts.

L'Église et les comédiens

"Je promets à Dieu, de tout mon cœur, de ne plus jouer la comédie le reste de ma vie, quand même il plairait à Son infinie bonté de me rendre la santé." Telle était la déclaration exigée par l'Église pour accorder une sépulture chrétienne à un comédien. En effet, l'Église n'a pas oublié les spectacles grossiers et cruels de l'Empire romain décadent, où des chrétiens étaient donnés en pâture aux lions. Mais tant que le roi soutient les comédiens, l'attitude de l'Église se veut plus conciliante. Les comédiens se marient à l'église, y font baptiser leurs enfants. Souvent, ils incluent dans leur testament, outre des legs pour les pauvres, des donations pieuses et des messes pour le repos de leur âme. Mais quand le soutien du roi faiblit, les curés réitèrent leur condamnation : l'acte le plus violent sera le refus du curé de Saint-Eustache, à Paris, d'accorder en 1673 une sépulture chrétienne à Jean-Baptiste Pocquelin, dit Molière.

Raconte-moi l'Aurore...

La nuit est tombée. Dans la salle sombre, à la lueur des chandelles, Bellerose et Nicolas entament une partie de piquet. Enroulée dans sa cape, Madeleine s'est blottie au côté de son père. Leurs ombres se dessinent au plafond.

— Raconte-moi, dit-elle.

— Quoi donc, toute belle ?

— Tu le sais, raconte-moi l'Aurore...

Florimond prend la petite dans ses bras, elle appuie la tête contre son épaule.

Le premier soir, un cortège magnifique émerveilla l'assemblée.

— C'était la plus belle chose du monde... Depuis trois jours déjà, le roi, les princes et les princesses, les ducs et les duchesses, et la cour tout entière étaient venus dans ce palais enchanté de Versailles. Ils se promenaient parmi les allées, où les fleurs les plus rares s'offraient à leur vue. Le premier soir, un cortège magnifique émerveilla l'assemblée. Imagine un cercle de verdure dans lequel s'avance un héraut d'armes à cheval, vêtu

33

d'un habit couleur de feu rebrodé d'argent, suivi de trois pages aux livrées étincelantes. Derrière eux, des timbaliers et des trompettes, en satin couleur de feu et d'argent, les caparaçons de leurs chevaux couverts d'une même broderie, avec des soleils aux banderoles des trompettes et sur les couvertures des timbales.

Apparut alors le roi, montant un des plus beaux chevaux du monde. J'ai cru voir un jeune dieu. Sa cuirasse de lame d'argent, couverte d'une riche broderie d'or et de diamants, répandait autour de lui une auréole quasi divine. Derrière lui, ducs, princes, comtes et marquis formaient une escorte magnifique. J'ai fermé les yeux devant tant d'éclat.

Apparut alors le roi, montant un des plus beaux chevaux du monde.

Un murmure me les fit ouvrir. Tiré par quatre chevaux surgit un char éblouissant d'or et de couleurs. Le Temps, avec sa faux et ses ailes, le conduisait. Aux côtés du char marchaient en deux files les douze heures du jour et les douze signes du zodiaque. Au plus haut du char régnait Apollon. Le cortège fit le tour du camp après avoir salué les reines, puis il se sépara. La nuit venue...

— ... arrivèrent les quatre saisons, poursuit Madeleine. Le Printemps en habit vert aux broderies d'argent et de fleurs, sur un cheval d'Espagne, l'Été sur un éléphant, l'Automne sur un chameau et l'Hiver sur un ours. Chacune avec sa suite, jardiniers, moissonneurs, vendangeurs et vieillards qui, après avoir dansé, servirent une collation comme tu n'en vis d'autre dans ta vie et qui...

— Tu oublies..., interrompt Florimond.

— ... le nombre infini de chandeliers peints de vert et d'argent, portant chacun vingt-quatre bougies, et les deux cents flambeaux qui rendaient une clarté presque aussi vive et agréable que celle du jour, s'exclame Madeleine.

Florimond caresse la tête de sa fille et reprend le récit :

— Le lendemain à minuit, Leurs Majestés se rendirent dans un autre cercle de verdure. Un grand nombre de flambeaux éclairaient le théâtre. Une musique merveilleuse s'éleva. L'Aurore ouvrit la scène et chanta le premier récit :

> *Dans l'âge où l'on est aimable*
> *Rien n'est si beau que d'aimer.*

Florimond chantonne doucement, reprenant les paroles.

— Et chacun ne pouvait s'empêcher d'aimer ta mère, fraîche comme une rose du matin, qui, par sa simplicité et son charme, faisait oublier les magnificences de la veille. Elle était là, rose et argent, nimbée de lumière, et sa voix pure s'élevait avec douceur. Chacun retenait son souffle. Le roi ne regardait plus qu'elle, et les reines lui souriaient. Ce fut un miracle de fraîcheur... avant que la maladie ne l'emporte... ajoute Florimond en baissant la voix. Maintenant, elle a rejoint les cieux et, comme l'Aurore, elle vient tous les matins, avec le premier rayon du soleil, déposer un baiser sur ta joue de petite fille, toi qu'elle aimait tant.

Madeleine sourit à travers le sommeil qui vient.

— Dieu que tu lui ressembles, soupire à mi-voix Florimond.

Elle était là, rose et argent, nimbée de lumière, et sa voix pure s'élevait avec douceur.

Louis XIV et le théâtre

Pendant la première partie de son règne, Louis XIV a été le ferme soutien des comédiens, puis, sous l'influence de madame de Maintenon, il leur a retiré son aide. Jeune, il a dansé dans les ballets de cour et pris grand plaisir aux spectacles. Il a donné de sompteuses fêtes à Versailles, alors petit château, où furent créées plusieurs pièces de Molière, et à Chambord où **Le Bourgeois gentilhomme** *fut présenté pour la première fois.*

Le roi est aussi intervenu en faveur de Molière, lorsque la "cabale des dévots", une série d'intrigues menées par des gens d'Église, fit interdire **Tartuffe** *ou* **Dom Juan**. *Surtout, c'est sous son égide que furent attribués à trois troupes – celles de l'hôtel de Bourgogne, du Marais et du Palais-Royal –, puis plus tard à l'Opéra, des pensions régulières et des théâtres fixes. Cette décision fut déterminante pour la production théâtrale du XVIIe siècle.*

En route pour le château !

R éveillée par un rayon de soleil, Madeleine se lève et rejoint les comédiens déjà prêts. L'aubergiste, radoucie depuis qu'ils sont les hôtes du château, leur a préparé une sorte de galette. Le carrosse réparé attend devant la porte.

L'équipage s'éloigne du village. À quelques lieues apparaît un petit manoir médiéval, flanqué de constructions nouvelles. À peine leur voiture pénètre-t-elle dans l'allée que le comte de Sérigné-Moisville surgit sur le perron et descend les marches à leur rencontre. Viennent à sa suite les comédiennes de la troupe.

— Ah ! que voilà un incident fâcheux qui a fait mon bonheur. Ces dames sont d'un esprit, d'une grâce qu'il m'est peu fréquent de rencontrer. Je vous envie, messieurs, de vivre en telle compagnie.

— Ces dames sont d'un esprit, d'une grâce qu'il m'est peu fréquent de rencontrer.

L'arrivée des invités interrompt la tirade. Un paysan, coiffé du titre d'intendant, prend alors les comédiens en charge.

— J'ai fait préparer une grange, explique la Beauval, avec une estrade en guise de scène, des feuillages sur les côtés pour masquer nos entrées et des bancs pour toute la compagnie. Il ne nous reste plus qu'à choisir ce que nous y jouerons.

— Pour un mariage, quoi de mieux qu'une pastorale ? Sortons les costumes de bergers et bergères, suggère Anne Pitel.

— Nous ne sommes pas à la cour, nous devrions plutôt jouer une comédie. Pourquoi pas *Sganarelle* ou *L'École des maris* ? propose Filandre.

Il ne nous reste plus qu'à choisir ce que nous y jouerons.

— Mais si le marié est un barbon, il croira que tous rient à ses dépens, réplique amusée Catherine de Beauce.

— N'ayez crainte, le marié est jeune, beau, et ma fille l'aime, dit alors une voix grave et un peu voilée.

Françoise de Sérigné-Moisville est entrée sans bruit dans la grange. Grande, ses cheveux cendrés bouclant autour d'un visage régulier, elle respire la bonté. Elle sourit à Madeleine qui, pour un peu, aurait envie de rester là, à broder ou à lire, sous ce regard. Puis la comtesse se retire, tout aussi calmement.

— Cesse donc de bayer aux corneilles et aide-moi plutôt à sortir les costumes, intervient Catherine de Beauce en prenant la fillette par l'épaule.

Elle lui tend le manteau de velours noir doublé de satin orange, couvert de broderies, qui transforme Filandre en marquis de comédie ou en empereur de tragédie, les jupes de toile d'or, de moire ou de soie, et le costume que Madeleine connaît bien, celui de son père en valet : un chapeau rond, une fraise blanche, un justaucorps noir à basques

courtes et une large ceinture de cuir jaune. Magie du théâtre, Madeleine a beau connaître depuis toujours Catherine, Beauval, Filandre, Bellerose, à la lueur des flambeaux elle voit apparaître une reine d'Égypte, un héros romain, la princesse d'un pays enchanté ou un affreux vieillard soupçonneux qui n'a plus rien de commun avec le tendre Nicolas d'Houay. Chaque fois qu'elle entre dans ces mondes étrangers et pourtant si réels, elle y découvre une autre vie qui pourrait être la sienne.

Dans un jour ou deux, ils reprendront leur route vers la Hollande, avant de revenir à Chantilly jouer chez le prince.

Elle y découvre une autre vie qui pourrait être la sienne.

Pour Madeleine, une évidence se fait jour. Sa place est avec eux, bien plus que parmi les rouleaux de soie de la rue Saint-Denis. Bon sang ne saurait mentir...

La vie d'une troupe

Une dizaine de troupes ont appartenu à des membres de la famille royale comme la reine Marie-Thérèse et Gaston d'Orléans, frère de Louis XIII, ou à des grands du royaume comme le prince de Condé qui les rétribuaient : pensions, gratifications ou subsides divers, costumes et vêtements d'apparat. Les troupes faisaient partie de la maison de leur protecteur et jouissaient, auprès du public, d'un certain renom.

Elles donnaient des représentations à la demande, l'hiver dans l'hôtel particulier de leur protecteur, l'été dans ses châteaux. Le reste du temps, elles partaient en tournée, visitant les grandes villes ou les cités étrangères (Angleterre, Pays-Bas, Allemagne, Italie). À travers une Europe cultivée qui parlait le français, elles diffusaient les modes et la culture de la France. Parallèlement, de nombreuses troupes de campagne sillonnèrent la France et jouèrent dans des lieux de fortune : hôtelleries, granges, salles de jeu de paume.

Fracischira   Arlequin   Capitaine Babco   Metzerin

La comédie italienne *ou* commedia dell'arte

Les reines Catherine et Marie de Médicis, originaires de Florence, ont introduit en France les comédiens italiens dès la fin du XVIe siècle. Leurs troupes sont composées de personnages types : les amoureux – Léandre et Isabelle –, les comiques – Scapin, Arlequin et Pantalon –, les grotesques – le Matamore, le Docteur... Les pièces qu'ils jouent ne sont pas écrites. Il s'agit d'un canevas sur lequel les acteurs improvisent. Merveilleux comédiens, ils sont aussi musiciens, acrobates, mimes, danseurs, chanteurs. Molière, qui partageait avec eux le théâtre du Petit-Bourbon, s'inspira de la commedia dell'arte *pour certains de ses personnages.*
Les comédiens italiens furent chassés par Louis XIV en 1697, après avoir joué une pièce intitulée La Fausse Prude, dans laquelle madame de Maintenon crut se reconnaître. Ils ne revinrent en France que vingt plus tard, après la mort du roi.

Molière

Molière en Sganarelle

La Comédie-Française

À la fin du XVIIᵉ siècle, les trois troupes protégées par le roi sont en difficulté. Molière meurt en 1673 et la troupe du Palais-Royal, privée de son chef, est affaiblie. Le théâtre du Marais ne fait plus recette et s'associe aux comédiens de Molière. Ils se transportent alors rue Guénégaud, dans une nouvelle salle. L'hôtel de Bourgogne, de son côté, est en proie à des divisions internes. Le roi souhaite qu'il n'y ait plus qu'une seule compagnie. Il donne l'ordre, le 18 août 1680, de réunir les deux troupes et leur accorde le privilège exclusif de "représenter des comédies dans Paris". La troupe unique comporte vingt-sept acteurs, quinze hommes et douze femmes, nombre qui n'avait jamais été atteint jusque-là.

Il devient alors possible de jouer tous les jours. L'intervention royale est forte, tant sur les comédiens que sur le répertoire joué. Les comédiens-français deviennent des fonctionnaires, aux ordres du pouvoir royal.

45

Petite chronologie

- 1548 *Interdiction des mystères par le Parlement de Paris (sous Henri II).*
- 1580 *Les troupes italiennes jouent à la cour et à l'hôtel de Bourgogne.*
- 1629 *Les Comédiens du roi s'installent à l'hôtel de Bourgogne.*
- 1641 *Louis XIII déclare les comédiens "gens honnêtes".*
- 1643 *Molière fonde l'Illustre-Théâtre avec les Béjart.*

- 1653 *Louis XIV, âgé de quinze ans, apparaît en soleil dans* Le Ballet de la nuit.
- 1661 *Début du règne personnel de Louis XIV.*
- 1664 Les Plaisirs de l'île enchantée *sont donnés à Versailles.* Tartuffe *est représenté pour la première fois.*
- 1665 *La troupe de Molière est nommée "troupe du roi".*
- 1673 *Mort de Molière.*
- 1680 *Création de la Comédie-Française sur ordre du roi.*
- 1715 *Mort de Louis XIV.*